Directeur de l'édition
Laurent Lachance

**Direction artistique
et conception graphique**
Dufour et Fille, Design inc.

Commercialisation
Jean-Pierre Dion

Diffusion
Presse Import Léo Brunelle inc.
307 Benjamin-Hudon
Saint-Laurent, Montréal, Québec
H4N 1J1
(514) 336-4333

ET

Éditions Télémédia inc.
Groupe Marketing Direct
2001, rue Université
9e étage
Montréal (Québec)
H3A 2A6
(514) 499-0561

Dépôt légal : 4e trimestre 1990
Bibliothèque nationale du Québec
Bibliothèque nationale du Canada

ISBN 2-551-12487-5

Imprimé au Canada

Les Granquenots

Texte de
Marielle Richer

Illustré par
Marie-France Bernier

Éducation
Québec

Radio
Québec

LAVAL

Il était une fois une famille qui vivait dans une île au creux d'une vallée. C'étaient les Granquenots. Ils étaient tous grands, tous, sauf Petitson, qui n'avait jamais grandi.

Chaque matin, Petitson levait les yeux au ciel pour voir le glacier jouer à cache-cache avec les nuages.

9

Mais un été, il n'y avait pas le moindre petit nuage. Le soleil chauffait si fort que le grand glacier fondait aussi vite que de la crème glacée.

— Il n'y a plus une minute à perdre, dit le père Granquenot. Il faut envelopper le glacier tout de suite pour l'empêcher de fondre.

— Moi, je propose qu'on apprenne à nager, suggère Petitson. L'eau monte à vue d'oeil ici.

— On va d'abord couvrir le glacier et on verra, lui dit sa mère.

— Alors je viens avec vous, dit Petitson.

— Non, Petitson, dit la mère. Ça peut être dangereux pour toi. Tu sais qu'il y a des grioles qui vivent dans la montagne. On va sûrement les effrayer avec la toile, elles peuvent attaquer.

— Les grioles peuvent t'enlever, toi. Tu es tellement petit, lui dit sa soeur.

— Je suis peut-être petit, mais j'ai le même âge que toi, lui répond Petitson.

Chaque fois, c'était la même chose. Les Granquenots avaient toujours peur qu'il arrive un malheur à Petitson. Son père lui avait même fabriqué une petite maison pour le protéger des grioles volantes.

16

— N'oublie pas de te cacher sous le paragriole, lui dit son père en partant.

— Mais je n'en ai jamais vu de griole par ici! Je saurai bien me débrouiller comme d'habitude, dit Petitson.

Petitson se faufile sous le paragriole et marche en
direction des arbres. Mais l'eau monte de plus en plus.

— Je ne peux pas rester là-dessous, se dit-il, sinon je
vais me noyer. Il faut que j'apprenne à nager tout de
suite.

Pendant ce temps, les Granquenots escaladent la montagne pour y installer la toile. Mais rien à faire : la toile glisse et le glacier dégouline de partout.

La famille travaille sans s'arrêter jusqu'au coucher du soleil.

Dans la vallée, l'eau monte de plus en plus. La maison des Granquenots se détache du sol et se balance dans l'eau comme un bateau. Petitson est fier de lui. Maintenant il sait nager sans s'essouffler.

Tout à coup, il aperçoit au-dessus de sa tête un oiseau qui fonce sur lui. C'est une griole terrible.

Petitson s'accroche à un bouquet de roseaux et pousse des cris aigus et bizarres. La griole se tord de douleur et s'enfuit.

— Ah! Je suis sauvé, crie Petitson. Je sais comment faire peur aux grioles. Je sais aussi que je peux flotter en me tenant aux roseaux.

C'est alors que Petitson se met à arracher tous les roseaux qu'il trouve sur sa route. Puis il s'installe sur une petite butte et commence à les tresser.

Le soir tombe et les Granquenots n'ont toujours pas
réussi à installer la toile. Ils reviennent dans la vallée et
voient la catastrophe.

— Ah ! C'est épouvantable !
Petitson, Petitson, où es-tu ?
appelle la mère Granquenot.

— Je suis ici, dit Petitson! Tout va bien! Je me suis fait une ceinture de sauvetage avec des roseaux. Et j'en ai une pour chacun de vous.

— Quelle merveilleuse idée tu as eue, lui dit sa mère.

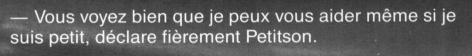

— Vous voyez bien que je peux vous aider même si je suis petit, déclare fièrement Petitson.

— Tu as raison, mon petit Granquenot, lui confirme son père.

Et chacun enfile sa ceinture en roseaux. Toute la nuit la famille s'affaire à redresser la maison. Puis, on décide de l'attacher à de gros arbres pour l'empêcher de basculer.

Et voilà qu'un grand bruit
d'ailes se fait entendre et des
dizaines de grioles
apparaissent.

— Ahhh! Il y en a partout!
Nous sommes perdus, crient
les Granquenots.

Mais Petitson se met à pousser ses sons aigus.

Les grioles grimacent et se sauvent en se bouchant les oreilles.

— Bravo ! Petitson. Tu es génial !

Et la famille porte Petitson jusque dans la maison.

43

Depuis ce jour, l'eau est retournée à la mer, le glacier s'est reformé et a repris son jeu de cache-cache dans les nuages. Les Granquenots ont appris à nager et à chasser les grioles. Petitson va et vient dans la vallée et personne ne lui dit jamais plus qu'il est trop petit.